Du même auteur

Aux éditions Sophia Press :

• SUIVEZ-MOI / LA TOUR, 1999

Aux éditions Perdita Ensemble :

• ICÔNE, 2004

Identité

Voix navigables est une marque de l'association
Sophia Institute for the Creative Arts.
http://www.voixnavigables.eu
artistic@voixnavigables.eu

7 bis, quai du Saule-Fleuri - 93450 L'Île-Saint-Denis, France

ISBN : 978-2-913768-04-8

Gérard Watkins

Identité

voix navigables ★ l'île-saint-denis (93), france

Personnages :

MARION KLEIN
ANDRÉ KLEIN

Les points de suspension (...) correspondent à une parole retenue. Elle peut provenir de l'un ou de l'autre des protagonistes. C'est une parole pensée, mais non formulée. Ce n'est pas forcément celui qui écoute qui a quelque chose à dire et qui ne dit rien. Cela peut aussi être la personne qui parle. Elle retient alors sa pensée et dit autre chose que ce qu'elle avait l'intention de dire. La provenance de ces points de suspension est à déterminer par les acteurs et le metteur en scène.
Les silences sont des silences, c'est-à-dire que ni l'un ni l'autre n'a quoi que ce soit à dire. *(N.d.A.)*

1.

André Klein lit l'étiquette d'une bouteille de vin. Marion Klein lit un livre.

MARION KLEIN : C'est… Qu'est-ce que tu lis ?
…
Qu'est-ce qu'il y a d'intéressant à lire ?
…
C'est intéressant à lire ?
Silence.
Tu arrives à lire sans penser à autre chose ?
…
Tu me racontes la fin ?

ANDRÉ KLEIN : C'est… C'est une forme de littérature. C'est un groupe de gens qui ont, comment dire… une sorte de… coopérative. Quelque part en Amérique du Sud. Qui font du vin. Le texte a, comment dire… une formulation poétique. C'est très charmant. C'est très original. Et, de l'autre côté, il y a un logo. Sans texte. Et, au-dessus du logo, il y a un autocollant. Avec du texte. Collé au-dessus du logo. Légèrement au-dessus.

MARION KLEIN : Qui dit quoi ?

ANDRÉ KLEIN : Qui dit qu'on peut gagner de l'argent.
Silence.
Enfin, peut-être. Qu'on peut peut-être gagner de l'argent. C'est une offre limitée dans le temps. Il y a une date limite de participation.

Assez proche de la date d'aujourd'hui. Aujourd'hui, en fait.
…
Il faut réagir.
…
Maintenant, en fait.

MARION KLEIN : Qui vient d'où ?
…
De l'argent qui provient d'où ?

Silence.

Parce que, de l'argent, je ne sais pas comment les gens font pour s'en procurer.

ANDRÉ KLEIN : Ce qui fait que ?

MARION KLEIN : Ce qui fait que… d'après moi, c'est que je ne sais pas d'où il provient.

ANDRÉ KLEIN : Ça s'appelle une tare, ça.

MARION KLEIN : Oui. On va dire ça comme ça.
…
On va situer ça comme ça.

ANDRÉ KLEIN : C'est une sale tare.

MARION KLEIN : On va identifier ça comme une… tare.

ANDRÉ KLEIN : Ne parle à personne de cette sale tare.

MARION KLEIN : Comment on fait ?
…
Pour… Qu'est-ce qu'il faut faire pour avoir cet argent ?

ANDRÉ KLEIN : Il faut appeler ce numéro-là. C'est un numéro vert. C'est… gratuit. C'est… simple.

MARION KLEIN : C'est… Oui. Ça doit être assez simple.

ANDRÉ KLEIN : C'est très simple. Il suffit de répondre à une question.

MARION KLEIN : Quoi, comme question ?

ANDRÉ KLEIN : « Voulez-vous gagner de l'argent ? Répondez à nos questions. Gagnez de l'argent. »

MARION KLEIN : C'est tout ?

ANDRÉ KLEIN : C'est tout.

MARION KLEIN : Ce n'est pas une question, ça.

ANDRÉ KLEIN : C'est quoi, alors ?

MARION KLEIN : C'est un ordre.

…

Les Sud-Américains donnent des ordres, maintenant ?

ANDRÉ KLEIN : Ce ne sont pas les Sud-Américains. En fait, il n'y a aucun rapport entre les deux textes. Sur l'étiquette avec la littérature poétique, c'est signé Coopérative agricole du Chili sais-pas-quoi, et sur l'autocollant il y a écrit Union européenne.

MARION KLEIN : On dirait une métaphore.

ANDRÉ KLEIN : Une quoi ?

MARION KLEIN : Une métaphore. Une parabole.

ANDRÉ KLEIN : Comment tu sais ? Tu n'as pas lu le texte.

MARION KLEIN : Non, que les deux textes soient mis comme ça, dos à dos.

…

La disposition. Est métaphorique.

ANDRÉ KLEIN : Je ne pense pas, non. C'est juste ce qu'il y a d'écrit sur la bouteille. De collé sur la bouteille. Je ne pense pas que ce soit la même entreprise qui ait collé les deux étiquettes. Non.

André Klein renifle la bouteille.

Ce n'est pas la même colle du tout. Non. C'est un hasard. Je vais appeler. Passe-moi ton portable, s'il te plaît. Je me sens en forme. Passe-moi ton portable. J'ai grillé mon forfait.

MARION KLEIN : Appelle du fixe. C'est du fixe qu'il faut appeler les numéros verts.

ANDRÉ KLEIN : Tu aurais payé la note du fixe, j'appellerais du fixe. Mais tu ne sais pas d'où provient l'argent, et tu ne sais pas où il doit aller non plus. Passe-moi ton portable.

…

Passe-le-moi.

MARION KLEIN : Il doit me rester quatre minutes sur mon forfait.

ANDRÉ KLEIN : Passe-le-moi.

MARION KLEIN : Il est sept heures du matin.

ANDRÉ KLEIN : Et alors ?

MARION KLEIN : C'est fermé à cette heure-là.

Silence.

Marion Klein passe son portable à André Klein.

ANDRÉ KLEIN : Pour une fois qu'on est debout tôt.

André Klein compose le numéro vert sur le portable de Marion Klein.

MARION KLEIN : On n'est pas debout tôt. On n'est pas couché.

ANDRÉ KLEIN : C'est pareil pour eux, tu sais ? C'est pareil. C'est... Même s'ils savaient. Même s'ils étaient au courant. De notre état. De l'heure à laquelle on se couche. Ils s'en foutraient. C'est ça, le monde moderne. C'est ça que tu ne comprends pas.

André Klein attend que quelqu'un lui réponde à l'autre bout du fil.

MARION KLEIN : C'est fermé. Raccroche. Le monde moderne ouvre à huit heures. Il n'a pas les moyens d'ouvrir à sept. Raccroche, vite, putain.

André Klein raccroche.

Passe.

André Klein rend le portable à Marion Klein.

J'ai travaillé plus que toi. J'ai fait plus d'heures que toi. J'ai rempli plus de contrats que toi. J'ai travaillé à toutes les heures. Tous les jours. Sans vacances. J'ai fait, ça. J'ai répondu au téléphone, déjà. J'ai appelé, aussi. J'ai répondu, et j'ai appelé. J'ai répondu en appelant. Je connais.

ANDRÉ KLEIN : J'ai travaillé, aussi, beaucoup. J'ai travaillé moins, mais plus intensément. J'ai pris des risques. J'ai perdu du temps. J'ai perdu le temps que j'avais parce qu'on m'a fait croire que j'en avais. Je ne me suis pas méfié. Personne ne m'a prévenu.

MARION KLEIN : Je ne comprends pas.
ANDRÉ KLEIN : Les amis ne servent à rien.
MARION KLEIN : Comment on peut croire qu'on a du temps.

...

À moins de... Oui, à moins d'être éduqué pour ça.
ANDRÉ KLEIN : Le temps passe mal.
MARION KLEIN : C'est ce qu'il fait dans ces cas-là.
ANDRÉ KLEIN : Il ne nous reste rien. Il nous reste deux bouteilles de vin qu'on a prises à cette soirée de merde. Une boîte de thon. Et deux minutes à peine sur ton forfait.
MARION KLEIN : Tu veux qu'il nous reste quoi, exactement ?

...

On gagnera de l'argent, si tu veux. On retardera l'échéance, si tu veux. Je ne vais pas te dire que ça ne me dérange pas. Ça me dérange déjà. Je savais que tu ferais ça. Que tu me dérangerais avec quelque chose comme ça. Je m'y attendais.
ANDRÉ KLEIN : Qu'est-ce que tu lis ?

...

C'est bien ce que tu lis ?
MARION KLEIN : C'est un manuel.
ANDRÉ KLEIN : Quoi, comme manuel ?
MARION KLEIN : Un mode d'emploi.
ANDRÉ KLEIN : C'est intéressant à lire ?
MARION KLEIN : Pas très à jour. Je trouve ça un peu limite.

ANDRÉ KLEIN : Ça parle de…

…

Ça parle de quoi ? C'est pour apprendre quoi ?

MARION KLEIN : La grève de la faim.

ANDRÉ KLEIN : Il y a une technique ?

MARION KLEIN : Ce n'est pas si simple. C'est comme tout. Ça s'apprend.

ANDRÉ KLEIN : Il faut boire beaucoup d'eau, non ?

MARION KLEIN : Ce n'est pas si simple. Ça se prépare. La tête. Le corps. Rien n'est simple. Rien ne saurait être simple. Laisse-moi me concentrer maintenant. Lis. Ton étiquette, là.

…

Lis.

ANDRÉ KLEIN : Pourquoi ?

…

Pourquoi tu lis un manuel sur la grève de la faim ?

MARION KLEIN : Pour que ma vie commence enfin. Pour lui donner une nouvelle identité.

ANDRÉ KLEIN : Tu vas arrêter de manger, c'est ça ?

MARION KLEIN : J'ai déjà arrêté de manger.

ANDRÉ KLEIN : Depuis quand ?

MARION KLEIN : Depuis que j'ai arrêté d'avoir faim.

ANDRÉ KLEIN : Je comprends.

MARION KLEIN : C'est ce qu'il faut faire, dans ces cas-là.

Silence.

Parce que ça n'a pas vraiment de nom, ce que je vis, là. Et maintenant, oui, je peux le dire. Je peux le nommer. Ça s'appelle une grève de la faim.

ANDRÉ KLEIN : Qu'est-ce que tu revendiques ?

…

Tu dois bien revendiquer quelque chose. Ça doit être précisé quelque part dans ton manuel. Qu'il faut revendiquer quelque chose. Ça doit être précisé. Sinon, change de manuel.

MARION KLEIN : C'est la faim, c'est tout.

…

Rien que la faim.

…

Avoir faim.

ANDRÉ KLEIN : Ce que tu veux faire, en fait, c'est un jeûne. Beaucoup de gens jeûnent. Les musulmans jeûnent. Environ vingt millions de Russes pratiquent le jeûne.

…

Jeûnons ensemble.

MARION KLEIN : J'aimerais qu'elle ait une histoire bien à elle.

ANDRÉ KLEIN : Notre histoire.

MARION KLEIN : Cette faim. Cette absence de faim.

ANDRÉ KLEIN : Ton histoire.

MARION KLEIN : Qu'elle ait son identité.

ANDRÉ KLEIN : Je vais ouvrir la dernière bouteille de vin.

MARION KLEIN : Il est sept heures et quart du matin, putain.

ANDRÉ KLEIN : Je vais l'ouvrir, et je vais lire ce qu'il y a écrit dessus.

André Klein va chercher la bouteille de vin et la trouve.

C'est un vin français. Il y a un texte. Qui est poétique aussi, mais jusqu'à la moitié seulement. Après, il y a juste écrit : « C'est pourquoi nous, vignerons de l'Ardèche… », et après ça devient chiant.

MARION KLEIN : Ça devient volontariste, c'est ça ?

ANDRÉ KLEIN : Oui, c'est ça.

MARION KLEIN : C'est toujours comme ça. Et l'étiquette ?

ANDRÉ KLEIN : Oui ?

MARION KLEIN : Le numéro vert. Il y est ?

ANDRÉ KLEIN : Oui.

MARION KLEIN : Le même ?

ANDRÉ KLEIN : Oui. Tu vois, ça n'a rien à voir avec l'Amérique du Sud.

André Klein ouvre la bouteille de vin.

Ce n'est pas un complot qui vient d'Amérique du Sud. Repasse-moi ton portable. Passe-le-moi. On va se faire de l'argent.

MARION KLEIN : Si tu veux.

ANDRÉ KLEIN : On va se faire de l'argent, maintenant.

MARION KLEIN : Autant que tu veux.

ANDRÉ KLEIN : Y en a marre.

MARION KLEIN : Oui. Tu ne nous apprends rien, tu sais.

ANDRÉ KLEIN : Tu vas te remettre à manger.

…

Tu vas te remettre à manger ?

MARION KLEIN : Ce que je vais faire, ça a un nom. Ça s'appelle la grève de la faim. Ça ne s'appelle pas un jeûne. Appelle ton numéro. Va gagner de l'argent. Qu'est-ce que j'ai dit ?

…

Qu'est-ce que j'ai dit ?

ANDRÉ KLEIN : Tu as dit que ce que tu faisais, ça avait un nom.

MARION KLEIN : C'est exactement ça. Va gagner de l'argent, maintenant.

Marion Klein passe son portable à André Klein.

L'un n'empêche pas l'autre.

André Klein compose le numéro sur le portable de Marion Klein.

Silence.

ANDRÉ KLEIN : Allô ?

…

Bonjour. André Klein, à l'appareil.

2.

André Klein répond à un questionnaire par écrit. Marion Klein ne fait rien.

MARION KLEIN : C'est... Qu'est-ce que tu écris ?
...
Qu'est-ce qu'il y a d'intéressant à écrire ?
...
C'est intéressant d'écrire ?
ANDRÉ KLEIN : C'est le questionnaire.
MARION KLEIN : Ah ?
ANDRÉ KLEIN : De la bouteille.
MARION KLEIN : Tu l'as reçu ?
ANDRÉ KLEIN : Ce matin.
MARION KLEIN : Tu ne m'as rien dit.
ANDRÉ KLEIN : Non.
MARION KLEIN : Pourquoi tu ne m'as rien dit ?
ANDRÉ KLEIN : Je ne sais pas.
MARION KLEIN : Ils posent quoi comme questions ?
ANDRÉ KLEIN : C'est un questionnaire qui a été écrit par un pool de questionneurs qui ont fait un – comment dire – une espèce de think tank pour savoir quel genre de questions il fallait poser à qui et comment les poser pour obtenir quel genre de réponses pour correspondre à quel genre de critères. À mon avis, ce ne sont pas les mêmes qui ont fait les critères. C'est un autre think tank.
MARION KLEIN : Et les critères, c'est quoi ?

ANDRÉ KLEIN : C'est la beauté du geste. On n'en sait rien.

MARION KLEIN : Eux, ils savent.

ANDRÉ KLEIN : Évidemment.

MARION KLEIN : C'est excitant. Cette dualité. Tout ce que tu racontes là. Ça m'excite. J'ai l'impression qu'on est partis pour une aventure formidable, et authentique, et fondamentale, et, comment on dit – tu sais quand c'est vraiment –, que c'est là que les choses commencent vraiment, parce qu'avant il n'y avait rien. C'est comme si rien n'avait jamais existé.

ANDRÉ KLEIN : Je ne vois pas de quoi tu parles.

MARION KLEIN : Fondatrice. C'est une aventure fondatrice. C'est bien. J'attends ça depuis longtemps.

ANDRÉ KLEIN : Tant mieux.

MARION KLEIN : Tu es sûr de vouloir la vivre ?

ANDRÉ KLEIN : Oui.

MARION KLEIN : Tant mieux.

ANDRÉ KLEIN : Et toi, tu veux toujours la vivre ?

MARION KLEIN : Oui.

ANDRÉ KLEIN : Avec moi, tu veux bien la vivre ?

MARION KLEIN : Oui.

ANDRÉ KLEIN : Avec ton estomac qui gargouille en continu, tu veux bien la vivre ?

MARION KLEIN : Oui.

ANDRÉ KLEIN : Tant mieux. Je vais ouvrir la boîte de thon pour fêter ça.

André Klein ouvre la boîte de thon.

Tu en veux ?

MARION KLEIN : Non merci.

André Klein mange du thon.

Il y a de moins en moins de thons dans la mer. Le thon disparaît. Tu peux lui dire au revoir.

ANDRÉ KLEIN : Je sais.

MARION KLEIN : Tu en manges quand même.

ANDRÉ KLEIN : Oui.

MARION KLEIN : Sinon c'est toi qui vas disparaître.

ANDRÉ KLEIN : C'est exactement ça. Prends-en. Prends-en, c'est dangereux ce que tu fais là.

MARION KLEIN : Non. Ça me fait du bien ce que je fais, là. Ça me rappelle quelque chose. Je ne sais pas ce que c'est. Mais ça me fait du bien.

...

Pourquoi c'est toi qui remplis et pas moi ?

...

Pourquoi c'est toi qui remplis et pas moi, si on va vivre tous les deux cette aventure fondatrice ?

ANDRÉ KLEIN : J'ai peur que tu merdes.

MARION KLEIN : Que je quoi ?

ANDRÉ KLEIN : Que tu merdes.

MARION KLEIN : Pourquoi ?

ANDRÉ KLEIN : Parce que c'est comme ça.

...

Parce qu'il y a écrit que c'est pour gagner de l'argent, et, dès qu'il s'agit de gagner de l'argent, il y a un mécanisme en toi qui se crispe.

Tu l'as dit toi-même. Qui se fige. Qui te fige dans le temps. Qui te pétrifie. Qui te détruit. Il doit y avoir en toi un mécanisme qui te ronge de l'intérieur. Un bug. Alors, je me méfie. Et je remplis le formulaire à ta place. Une fois qu'on sera pris, tous les deux, une fois qu'on aura été acceptés, je te laisserai à nouveau être maîtresse de ton destin. Tu pourras te faire virer ou non. Tu pourras continuer ton jeûne. Ta grève de la faim non médiatisée. Mais là, c'est moi qui remplis le formulaire.

MARION KLEIN : Et s'il n'y a que moi qui suis prise ?

ANDRÉ KLEIN : Impossible.

MARION KLEIN : Pourquoi ?

ANDRÉ KLEIN : Parce que je suis en train de remplir le formulaire couple qui est censé nous donner plus de chances.

MARION KLEIN : Ah ?

ANDRÉ KLEIN : C'est ce qu'il y a écrit.

MARION KLEIN : Et si on remplissait le formulaire couple et le formulaire individuel, et qu'on envoyait les deux ?

ANDRÉ KLEIN : Non. On n'a le droit qu'à une seule réponse par foyer. C'est écrit dessus.

MARION KLEIN : J'ai du mal à comprendre pourquoi un couple aurait plus de chances.

ANDRÉ KLEIN : C'est bien ce que je disais. Tu ne comprends rien à leur logique. Donc je remplis.

MARION KLEIN : À l'agence, ils m'ont dit ça. Que j'avais le droit de porter plainte si mon conjoint me dévalorisait professionnellement. Mais uniquement professionnellement, parce que le professionnel est mesurable, et le reste pas du tout. Et là, ce que je mesure, c'est que c'est professionnellement que tu me dévalorises.

ANDRÉ KLEIN : Laisse-moi me concentrer, maintenant. J'ai du travail.

MARION KLEIN : Va te faire foutre.

ANDRÉ KLEIN : Ça fait longtemps que tu ne m'as pas dis va te faire foutre.

Silence.

MARION KLEIN : C'est quoi, comme questions ?

ANDRÉ KLEIN : Je n'en suis pas là. J'en suis au formulaire. C'est… comme une fiche signalétique. Une fiche d'état civil. En plus élaborée. Le questionnaire est dans cette enveloppe. Je ne l'ai pas encore ouverte. Remplis. Ta date de naissance, là. J'ai rempli le reste.

MARION KLEIN : Donne.

ANDRÉ KLEIN : Applique-toi. Ne fais pas comme si on avait le choix.

André Klein se sert un verre de vin.

Tu as une sale tête.

…

Tu devrais manger.

…

Si j'avais un peu d'argent, j'irais faire des courses.

Silence.

Je vais ouvrir l'enveloppe.

André Klein ouvre l'enveloppe.

…

MARION KLEIN : Alors ?

…

C'est quoi ? C'est quoi, les questions ?

ANDRÉ KLEIN : *La* question. Il n'y en a qu'une.

MARION KLEIN : Tu peux me la lire, s'il te plaît ?

…

Tu peux me la poser ?

ANDRÉ KLEIN : C'est violent.

…

Non, c'est remuant.

…

Putain.

…

Ils n'y vont pas de main morte.

…

« Vos parents sont-ils vraiment vos parents ? »

Silence.

C'est raide.

…

MARION KLEIN : C'est énorme.

ANDRÉ KLEIN : Comment je peux répondre à ça, moi ? Comment peut-on répondre à une question pareille ?

MARION KLEIN : C'est dur. Ils sont durs avec toi. Avec nous.

ANDRÉ KLEIN : Pour une question, c'est une question.

MARION KLEIN : Elle est métaphysique.

ANDRÉ KLEIN : Tu as des mots avec des *m* devant pour tout, toi.

MARION KLEIN : Merde.

Silence.

ANDRÉ KLEIN : C'est flou.

...

Comme question.

MARION KLEIN : Non. C'est très précis.

ANDRÉ KLEIN : Qu'est-ce que tu répondrais, toi ?

MARION KLEIN : Ça t'intéresse, maintenant ?

ANDRÉ KLEIN : Oui. Vu la question, on va répondre chacun de notre côté, mais tu vas répondre quand même. Je ne vais pas répondre à ta place.

MARION KLEIN : Je ne suis sûre de rien.

ANDRÉ KLEIN : De rien ?

MARION KLEIN : De rien. Je préfère.

ANDRÉ KLEIN : Je mets « ne sait pas », alors.

MARION KLEIN : Mets « ne sait pas ».

ANDRÉ KLEIN : Je trouve que tu réponds un peu vite.

MARION KLEIN : C'est comme ça.

André Klein écrit « ne sait pas » sur le feuillet.

ANDRÉ KLEIN : Il y a une chose qui me chiffonne.

MARION KLEIN : Une chose seulement ?

ANDRÉ KLEIN : Ils demandent pour les parents. Pourquoi ils ne demandent pas pour le père seulement ? C'est le père, le doute. Elle n'y est pour rien, la mère. Du doute.

MARION KLEIN : Un peu, quand même.

...

ANDRÉ KLEIN : Mais ma mère, c'est ma mère.

MARION KLEIN : Tu es sûr ?

ANDRÉ KLEIN : De quoi ?

MARION KLEIN : Que ta mère est bien ta mère.

ANDRÉ KLEIN : Évidemment.

MARION KLEIN : Tu t'en souviens ?

...

Du jour de ta naissance. D'elle, tu t'en souviens ?

ANDRÉ KLEIN : Il y a des preuves. Des traces. De la maternité. Des registres. C'est con, ce que tu dis.

MARION KLEIN : Tu les as vus ?

ANDRÉ KLEIN : Non.

MARION KLEIN : Alors tu n'es pas sûr. Tu pourrais être sûr. Tu pourrais aller vérifier. Mais là, à l'heure qu'il est, tu n'es pas sûr.

...

D'où la question.

...

Si tu veux mon avis, s'ils te posent cette question, c'est pour savoir comment tu vas réagir.

ANDRÉ KLEIN : Je mets oui, alors.

MARION KLEIN : Oui. Tu mets oui.

André Klein hésite à écrire « oui » sur le feuillet.

Mets oui, putain.

ANDRÉ KLEIN : Je ne peux pas mettre oui. Ce ne serait pas honnête de mettre oui.

MARION KLEIN : Tu mets « ne sait pas », alors.

André Klein écrit « ne sait pas » sur le feuillet.

Et c'est tout de suite qu'ils vont *nous* payer ?

ANDRÉ KLEIN : Non.
MARION KLEIN : Pourquoi non ?
ANDRÉ KLEIN : Parce que ce n'est pas cette question qui fait qu'on gagne de l'argent.
...
Cette question, elle est juste là pour voir si on est éligible ou non pour participer à une forme de test qui peut nous faire éventuellement gagner de l'argent.
MARION KLEIN : Un autre questionnaire ?
ANDRÉ KLEIN : Non. Ça, on n'en sait rien. Ils disent que c'est un test. C'est tout ce qu'ils disent.
MARION KLEIN : C'est tout ?
ANDRÉ KLEIN : Oui, c'est tout. Je ne pense pas que le test soit un autre questionnaire. À mon avis, c'est un test qui demande une participation physique. Mais ils n'en disent rien. C'est juste l'impression qui se dégage du questionnaire.
MARION KLEIN : Je peux voir le paquet ? Je peux voir l'enveloppe du paquet ?
ANDRÉ KLEIN : C'est là.
MARION KLEIN : Je veux juste voir l'enveloppe.
ANDRÉ KLEIN : C'est dans le recyclable, là, là.

Marion Klein sort l'enveloppe de la poubelle de recyclage.

MARION KLEIN : Il n'y a pas de timbre.
ANDRÉ KLEIN : Non, elle a été déposée.
MARION KLEIN : Je n'ai rien entendu.
ANDRÉ KLEIN : Elle a été glissée sous la porte.
MARION KLEIN : Il n'y a pas d'adresse. Il n'y a pas nos noms, et il n'y a pas notre adresse.

ANDRÉ KLEIN : Pas besoin, c'est livré à domicile.
MARION KLEIN : Fais voir la lettre. Il doit y avoir une lettre avec une adresse de retour, non ?
ANDRÉ KLEIN : Il y a une lettre, mais il n'y a pas d'adresse de retour.
MARION KLEIN : Non ?
ANDRÉ KLEIN : Non. Il y a juste écrit : « Répondez à ce questionnaire, s'il vous plaît, et glissez-le sous la porte. »

Silence.

MARION KLEIN : Est-ce qu'il y a écrit combien on va toucher si on est pris ?
ANDRÉ KLEIN : Oui.
...
C'est un forfait.
MARION KLEIN : Génial.
ANDRÉ KLEIN : Payable après résultats.
MARION KLEIN : C'est moins bien.
ANDRÉ KLEIN : Mais il y aura une avance.
MARION KLEIN : Bon.
ANDRÉ KLEIN : De quoi tenir pendant le test.
MARION KLEIN : C'est ce qu'ils disent ?
ANDRÉ KLEIN : Oui. C'est écrit là. Texto.
MARION KLEIN : Ça ne fait pas très sérieux.
ANDRÉ KLEIN : C'est pour rassurer.
MARION KLEIN : C'est raté.
ANDRÉ KLEIN : Il y a d'autres gens.
MARION KLEIN : Quoi ?
ANDRÉ KLEIN : Que toi. Il y a d'autres gens dans cette ville que toi. Des gens avec une éducation moindre. Un cynisme moins englué.

Une grand-mère, par exemple. Une grand-mère va être rassurée. Elle va se dire que c'est toujours ça de pris. Elle a été élevée comme ça. Avec la peur du lendemain. Ce qui est un signe de santé. Ce qui veut dire que le lendemain existe. En tant que notion. En tant que réalité. Moi, je me sens un peu grand-mère. Toi, non. Toi, tu as été inventée de toutes pièces. Tu es un être hybride pour qui le lendemain est une invention comme le reste.

MARION KLEIN : J'aimerais bien supprimer les lendemains. Sans toucher au reste.

ANDRÉ KLEIN : C'est futile.

MARION KLEIN : Une incision chirurgicale dans le temps.

Silence.

ANDRÉ KLEIN : Qu'est-ce que ça peut te faire si on gagne de l'argent ? Tu fais la grève de la faim.

MARION KLEIN : C'est pour voir ce que ça fait.

ANDRÉ KLEIN : Avec cet argent, tu pourrais manger des choses comme tu n'en as jamais mangé. Des choses qui ne font de mal à personne. Des choses qui ne font que du bien.

...

J'ai hâte.

MARION KLEIN : Hâte de quoi ?

ANDRÉ KLEIN : Hâte de recevoir le test.

MARION KLEIN : J'ai vraiment hâte qu'ils aillent se faire foutre avec des questions pareilles.

3.

André Klein tente d'ouvrir une caisse en bois avec un couteau. Marion Klein ne fait rien.

MARION KLEIN : C'est… Qu'est-ce que tu fais ?
…
Qu'est-ce qu'il y a d'intéressant à faire ?
…
C'est intéressant ce que tu fais ?
ANDRÉ KLEIN : J'ouvre ce colis.
MARION KLEIN : Tu n'y arrives pas.
ANDRÉ KLEIN : Je n'ai pas d'outils.
MARION KLEIN : Tu as besoin d'outils ?
ANDRÉ KLEIN : Je n'ai jamais eu d'outils.
MARION KLEIN : Fais voir. Il est beau ce colis.
…
Il y avait les mêmes caisses en bois dans les dessins d'Edgar Rice Burroughs. Quand le père et la mère de Tarzan échouent sur la plage. Elle est enceinte. Elle est un peu neurasthénique. Elle a une peau laiteuse. Et elle meurt peu de temps après son accouchement. Elle délire avant de mourir. Elle pense qu'elle est encore dans le Stretfordshire.

Silence.

ANDRÉ KLEIN : Ça n'existe pas.
MARION KLEIN : Comment ?
ANDRÉ KLEIN : Le Stretfordshire. Ça n'existe pas. Le Staffordshire existe. Le Stretfordshire n'existe pas.

MARION KLEIN : Alors, elle pense qu'elle est encore dans le Staffordshire.

ANDRÉ KLEIN : Pourquoi dans le Staffordshire ?

MARION KLEIN : Parce que c'est de là que vient Burroughs, son auteur.

ANDRÉ KLEIN : Putain, tu racontes vraiment n'importe quoi. Burroughs est né à Chicago. Il n'a jamais foutu les pieds dans le Staffordshire.

MARION KLEIN : Ah ?

ANDRÉ KLEIN : C'est grave. Même *Tarzan*, tu n'arrives pas à le lire sans extrapoler.

MARION KLEIN : C'est vrai, oui ou non, que la caisse ressemble à l'un des coffres du naufrage des parents de Tarzan ?

...

C'est vrai, ou ce n'est pas vrai ?

ANDRÉ KLEIN : C'est vrai.

MARION KLEIN : Je vais chercher un pied-de-biche dans la caisse à outils.

Marion Klein trouve un pied-de-biche.

Pousse-toi.

Marion Klein ouvre la caisse avec le pied-de-biche.

Il y a une lettre. Et des bouteilles.

Marion Klein s'éloigne de la caisse.

Lis la lettre.

ANDRÉ KLEIN : Ce n'est pas une lettre.

...

C'est un... comme un paquet d'enveloppes.

...

C'est le test.
…
C'est le test lui-même.
…
C'est écrit dessus.

MARION KLEIN : Je ne voyais pas ça comme ça.
…
Les bouteilles, c'est quoi ?

ANDRÉ KLEIN : C'est un cadeau.
…
C'est du lubrifiant social.

MARION KLEIN : C'est… plein de bonnes bouteilles là-dedans.

ANDRÉ KLEIN : C'est énorme.

MARION KLEIN : On va boire un coup pour fêter ça.

ANDRÉ KLEIN : Si tu veux.

MARION KLEIN : Ouvre la meilleure.

ANDRÉ KLEIN : C'est celle-là, la meilleure.

André Klein examine les bouteilles de plus près.

Oui, c'est celle-là. Je l'ouvre tout de suite. Sors deux verres.

Marion Klein va chercher deux verres.

C'est dégueulasse.

MARION KLEIN : Non, c'est du calcaire.

ANDRÉ KLEIN : Dégueulasse. À la tienne.

MARION KLEIN : À la tienne.
…
À la nôtre.

ANDRÉ KLEIN : À la nôtre.

MARION KLEIN : Fais voir les tests.

ANDRÉ KLEIN : Attention.

...

Je crois qu'il faut les manipuler délicatement.

...

Oui. Il ne faut pas les ouvrir tout de suite. Il y en a six.

...

Il y a un mode d'emploi. Tu le lis, s'il te plaît ?

Marion Klein lit le mode d'emploi à voix haute.

MARION KLEIN : « Ces tests sont valables pour six personnes. Il y a donc un test par personne concernée. Conjoint, mère, père. Conjointe, mère, père. Vous trouverez dans la boîte six enveloppes stériles dans lesquelles vous pouvez mettre les objets suivants :

Ongles coupés (des mains ou des pieds).

Cheveux arrachés, avec la racine ou le bulbe (les cheveux coupés ne sont pas valables).

Mégots, brosses à dents, chewing-gums, bonbons, etc.

Taches de sang, de sperme (préservatifs) ou de sueur (linge non lavé).

Objets avec salive : récipients à liquide (verres, tasses), enveloppes, timbres, etc.

Mouchoirs.

Dents de lait, pinces ombilicales, cordons ombilicaux, etc.

Urines (langes).

Dépouilles mortelles (os et dents).

Tissus biologiques (biopsies en paraffine). À renvoyer impérativement par la poste. À cette adresse. Qui transmettra. »

…

Tu as soif ?

…

Tu veux boire encore ?

ANDRÉ KLEIN : Oui.

Marion Klein remplit le verre d'André Klein, qui le boit.

Excellent.

…

Fais voir l'étiquette.

Silence.

Excellent ce qu'on est en train de boire.

MARION KLEIN : Je suis déchirée, putain.

ANDRÉ KLEIN : Oui, c'est normal. Ça fait douze jours, maintenant.

…

Douze jours sans une fucking biscotte.

…

C'est fort.

…

Moi aussi. Moi aussi, je suis déchiré.

MARION KLEIN : J'ai envie de faire l'amour.

Silence.

Viens me faire l'amour.

…

Comme ça, on peut récupérer le sperme et le mettre directement dans l'enveloppe.

ANDRÉ KLEIN : C'est gore.

MARION KLEIN : C'est la réalité.

...

C'est la réalité qui m'excite maintenant.

4.

André Klein boit une très bonne bouteille de vin. Marion Klein ne fait rien.

ANDRÉ KLEIN : Je viens de recevoir une lettre de relance.

…

Ils sont surpris.

…

Qu'on n'ait pas encore renvoyé le test. Ils doivent penser qu'on abuse. Mais ils restent cordiaux.

…

Tu es sortie ?

…

Ce matin, tu es sortie.

…

Pendant que je dormais, tu es sortie.

Silence.

Tu as été voir tes parents ?

Silence.

Tu as été voir tes parents avec le test ?

…

Alors ?

…

Tu as choisi quoi, comme méthode ?

Silence.

Tu as choisi laquelle, de méthode, avec tes parents ?

…

Donne-moi tes résultats.

Silence.

Donne.

Silence.

Donne-les-moi, et j'irai moi aussi.

André Klein ouvre une nouvelle bouteille de vin.

J'irai dans la foulée.

…

C'est bien que tu y sois allée.

…

Je te trouve en forme. Pour quelqu'un qui…

…

Ça fait quoi, trois semaines ?

Silence.

Je n'aurais jamais dû remplir le formulaire couple.

MARION KLEIN : Quatre.

ANDRÉ KLEIN : Chapeau.

…

Tu n'as pas de nausées, rien ?

Silence.

Et tu arrives à sortir ?

…

Chapeau.

…

Je finis cette bouteille, et j'y vais, moi aussi.

MARION KLEIN : Je ne suis pas allée voir mes parents. Je suis allée à la bibliothèque municipale.

Silence.

Préparer des notes.
…
Faire quelques recherches et préparer des notes. À propos d'une histoire dont j'ai eu vent.
…
Qui a à voir avec le vent.
Silence.
Le vent printanier.
…
Que j'ai à te raconter.
…
Je me sens atteinte. Je voulais vérifier l'histoire avant de te la raconter. Éprouver sa logique. C'est le problème des histoires qui contiennent leur propre logique. On a beau rejeter l'histoire, la logique se fraie un chemin quand même. J'ai du mal à mettre de l'ordre dans mes pensées, dans mes mots, à être en phase avec la logique de cette histoire, que j'ai à te raconter.

ANDRÉ KLEIN : Je te sens bien partie, quand même.

MARION KLEIN : À jeun, elle passe mal.

ANDRÉ KLEIN : J'ai mangé.
…

MARION KLEIN : Bien avant la rafle du Vél d'Hiv, quelqu'un avait écrit un texte…

ANDRÉ KLEIN : J'en étais sûr.

MARION KLEIN : Quelqu'un, quelque part…

ANDRÉ KLEIN : Putain.

MARION KLEIN : Dans un bureau, dans une administration…

ANDRÉ KLEIN : Je vais me boucher les oreilles.

MARION KLEIN : Ou peut-être ce n'était pas quelqu'un. Peut-être, c'étaient plusieurs personnes, comme tu dis souvent, là, un think tank. Plusieurs personnes à se concentrer pour répondre avec zèle à une question. Une question posée quelque part au fond d'un couloir dans une administration, quelque part dans le centre.

ANDRÉ KLEIN : Marre de tes histoires de camp, putain.

MARION KLEIN : Et ces gens, parce que ce sont bien des *gens*, ont travaillé, réfléchi, parlé, débattu. Parce qu'il fallait préparer un texte de loi et que ce texte soit sérieux. Professionnel. Qu'il démontre qu'il y avait une pensée derrière la logique, à l'origine de la logique. Que ce n'était pas n'importe quoi, n'importe comment, par n'importe qui.

…

Et qu'il fallait bien…

…

Et qu'il fallait bien…

…

Préparer ces textes de loi. Et pour préparer ça, ces textes de loi, il fallait répondre à une question posée quelque part, dans un couloir, quelque part dans le centre.

…

Mais qui est juif ?
…
L'histoire de la rafle, tu la connais, mais celle-là, tu ne la connais pas, écoute, s'il te plaît.
Silence.
Qui est-il ?
…
D'où vient-il ?
…
Comment sait-on qu'il est juif ?
Silence.
Qu'il fait partie d'une lignée ?
…
Ils ont réfléchi.
…
Et ils sont arrivés à une conclusion.
…
Assez curieuse.
…
Dans le *Journal officiel* du 18 octobre 1940, on pouvait lire la chose suivante : « Est regardé comme juif, pour l'application de la présente loi, toute personne issue de trois grands-parents de race juive ou de deux grands-parents de la même race, si son conjoint lui-même est juif. »
…
Tu as entendu ?
Silence.
Ils ont ignoré les parents. Ils les ont annihilés. Pour ne pas avoir à les reconnaître. Pour ne pas

avoir à les identifier. Pour éviter la question de la paternité dans un pays où le taureau comme la vache sautent volontiers par-dessus les clôtures. Parce que des femmes accouchaient sous X pendant que leur mari était prisonnier en Allemagne. Et que la maternité devenait une question, elle aussi. Et je ne sais pas, je ne comprends toujours pas comment ils sont arrivés à cette conclusion. Qu'il fallait trois grands-parents juifs pour être juif. Le cheminement, je ne le situe pas bien. Mais voilà ce que ça me raconte. Entre autres. Trois. Pas un, pas deux, pas quatre. Trois. Comme une issue de secours. L'illusion qu'il y a, qu'il doit y avoir, quelque part, une issue de secours. Ce qui est une forme de perversion, non ? Ce qui définit, en partie, la perversion d'un système, non ? Une issue de secours quelque part au fond d'un couloir que quelqu'un a vue, ou a cru voir. Mais on ne sait pas qui, ni quand ni comment.

...

Parce qu'il faut bien...

...

Parce qu'il *en* faut bien.

...

Mais là où ça se gâte. Pardon. Où ça s'étoffe. Dans leur définition. C'est quand ils disent que si le conjoint est juif, alors il ne faut plus que deux grands-parents juifs pour être juif. Voilà ce que ça me raconte. Parce qu'il faut bien que ça me...

...
On assimile le conjoint à un des grands-parents, et de fait, il remplace le troisième grand-parent. Le conjoint devient le géniteur de nos parents. C'est un peu compliqué, mais ça se résume à une boucle dans le temps. À un arrêt dans le temps. À une forme de surplace. À une asexuation. À une forme d'annihilation génétique. Et ça pose le dilemme suivant.
...
Je suis seule, célibataire, trois de mes grands-parents sont juifs : je suis juive, je me fais déporter.
...
Je suis seule, célibataire, seul deux de mes grands-parents sont juifs : je ne suis pas si juive que ça, je reste chez moi.
...
Mais je rencontre un homme qui devient mon conjoint. Il est juif, et de ce fait je deviens juive : on se fait déporter tous les deux.
...
C'est pervers, non ? C'est vicieux et pervers, non ? C'est particulièrement tordu, non ? Mais il y a une faille.
...
Ils ne disent pas ce qui se passe quand quelqu'un qui a deux grands-parents juifs en rencontre un autre qui est dans le même cas.

ANDRÉ KLEIN : Ils sont non-juifs.

MARION KLEIN : Et leurs enfants ?

ANDRÉ KLEIN : C'est toi qui es tordue, putain.
MARION KLEIN : Moi, je suis tordue ?
...
C'est moi que tu appelles « tordue » ?
ANDRÉ KLEIN : Oui, il faut être tordue et vrillée pour croire qu'il y a une pensée derrière la logique de ce think tank de fonctionnaires vichystes de merde.
...
Tu appelles ça une pensée, toi ?
Silence.
C'est ça, ton problème. Tu penses que les gens font bien les choses. Tu penses qu'ils s'appliquent. Tu penses qu'ils pensent en s'appliquant. Tu penses qu'ils s'appliquent en pensant.
...
Il était trois heures du matin et ils se sont dits : « Allez, c'est bon, va pour deux quand le conjoint est juif, on verra demain. » Et le lendemain, ils ont dit : « Allez, on passe à la presse. »
...
Parce que des failles, il y en a partout.
...
Et que tu n'es pas foutue de les voir avant de me déballer toutes tes théories.
...
Parce que, les grands-parents, comment sait-on qu'ils sont juifs, alors que, de toute évidence, on ne connaît pas leurs grands-parents, ni les grands-parents de leurs grands-parents ?

Silence.

Il n'y a pas de pensée derrière.

…

Il y a un génocide qui a pour vocation d'être irréversible.

…

Arrête de dire que c'est une pensée.

…

Arrête de dire que derrière ce qu'ils font, il y a une pensée.

…

S'il y avait une pensée derrière ce qu'ils font, je ferais la grève de la faim avec toi, mon amour.

5.

André Klein boit du whisky continuellement. Marion Klein boit de l'eau.

MARION KLEIN : J'ai des hallucinations.

ANDRÉ KLEIN : Moi aussi.

MARION KLEIN : C'est ces putains de médocs que tu m'as filés.

ANDRÉ KLEIN : Oui.

MARION KLEIN : J'ai toujours eu des hallucinations, mais celles-là ont franchi un cap.

ANDRÉ KLEIN : Oui.

MARION KLEIN : Qu'est-ce que tu vois ? Tu vois ? Qu'est-ce que tu vois ?
...
C'est bien ce que tu vois ?
...
C'est intéressant à voir ?

ANDRÉ KLEIN : C'est tout rond, ce que je vois. C'est rond, et confortable, et moelleux. C'est comme si je rencontrais quelqu'un de bien pour la première fois de ma vie.
...
Ce n'est pas une hallucination...
...
C'est palpable.

Silence.

Qu'est-ce que tu vois ?
...
Toi.

...

Dis-moi ce que tu vois.

MARION KLEIN : C'est très lié à la séquence d'ouverture du film *Alien*.

ANDRÉ KLEIN : Lequel ?

MARION KLEIN : Le premier. Avec John Hurt.

ANDRÉ KLEIN : Ce n'est pas John Hurt.

...

C'est Harry Dean Stanton.

MARION KLEIN : C'est les deux.

...

C'est le seul film où il y a les deux.

ANDRÉ KLEIN : C'est des cocons ?

MARION KLEIN : Oui.

ANDRÉ KLEIN : À chaque fois que tu hallucines, tu vois des cocons.

MARION KLEIN : Mais là, ils sont suspendus au plafond d'un entrepôt tout blanc. Les cocons sont blancs aussi. Et il y a un liquide blanc, comme une peinture blanche mate qui ne va nulle part, qui coule, et qui se répand dès qu'il touche le sol. Il y a des vasistas partout. Comme ici. Et je me sens pourrie de l'intérieur. Je sens que je ne peux pas avancer si je ne me verse pas quelque chose pour aseptiser ce que j'ai à l'intérieur. Je lève les yeux et la lumière qui vient des cocons est aveuglante, et j'ouvre la bouche et le liquide blanc rentre en moi et disparaît. Et je joue des coudes. Il n'y a personne autour de moi, mais je me mets à jouer des coudes. Et pendant tout ce temps, je me dis : rien ne t'oblige à jouer des coudes. Mais je m'y sens obligée. Il y a une force brutale qui me dicte mes mouvements. Il y a une odeur de plastique, une odeur un peu nouvelle, et je respire et c'est très sec et très froid. C'est comme si, dans l'air, il y avait ce mélange qu'ils mettent dans les cigarettes qui donnent un parfum de reviens-y.

ANDRÉ KLEIN : C'est du cyanure.

MARION KLEIN : Oui, ça doit être ça, mais c'est du cyanure qui est frais, un peu comme du menthol. Je me sens mieux. Plus en forme. Plus nerveuse. Plus souple aussi. Et je me mets à faire des – comment on dit… quand on saute pour faire un tour complet sur soi-même ?

ANDRÉ KLEIN : Des sauts périlleux.

MARION KLEIN : Je respire de plus en plus de cyanure et ça me donne de plus en plus de force. Et j'aimerais tant que quelqu'un soit là. Pour le voir.

ANDRÉ KLEIN : J'ai un peu honte. De ne pas être là. De ne pas être présent dans ton hallucination.

…

Moi, c'est différent. Quelqu'un est présent. Très présent. Qui me rassure. Qui me dit que c'est mieux d'être deux quand on est dans la merde et, comme ça arrive souvent, il vaut mieux être deux. Et que ça revient moins cher, et qu'on peut faire l'amour sans préservatif. Et qu'on peut regarder la télé à deux, et que ça fait moins con que quand on la regarde seul. Et qu'on n'est pas obligé de réfléchir tout le temps, et qu'on peut penser à l'autre, qu'on doit penser à l'autre, et que c'est plus reposant que de penser à soi. Elle est tout le temps à manger des chips et à boire de la bière et elle ne grossit jamais. Elle conduit une Clio toute neuve qui a la clim et elle lit des revues sur les maisons de la Côte d'Azur, et elle met des lunettes pour les lire, assise en tailleur. Elle arrive à s'asseoir en tailleur à la perfection. Sans manifester le moindre signe d'inconfort. Et elle me dit : « Je vais t'apprendre, c'est facile. » En fait, pour tout, elle me dit : « Je vais t'apprendre, c'est facile. » Manger des chips, boire de la bière sans grossir, s'asseoir en tailleur, c'est facile. Ça s'apprend.

…

J'ai un peu honte.

…

Mais je me dis que c'est bien, que ça fait longtemps que je n'ai pas pensé à des choses positives et que ça doit être parce que je suis complètement raide avec ce whisky et que je m'oublie un peu et que ça fait du bien d'oublier. De m'oublier.

…

Oui, c'est ça qui est formidable avec ce whisky.

…

On s'oublie.

Silence.

Ça doit être la tourbe.

…

Ça doit être le fût de chêne dans lequel il a vieilli.

…

Comment je m'appelle déjà ?

…

Oui. Oui, je gagne bien ma vie, maintenant.

…

Je gagne bien ma vie, putain.

…

Je me sens bien, et c'est grâce à l'Europe tout ça.

…

Parce qu'il est européen, ce whisky, et qu'on a besoin de rien, maintenant. On n'a pas besoin de tous ces…

…

On a besoin de rien.

…

Tous ces…

…

Un peu de carburant à la limite.

…

Oui, je crois qu'on a besoin d'un peu de carburant.

…

Mais ce n'est pas grave, on sait où il y en a, du carburant.

…

On peut toujours s'arranger.
Silence.
Mais sinon, on n'a besoin de rien, putain.
Silence.
On a tout.
Silence.
C'est bien.
...
Je suis fier. J'en fais partie.
...
J'ai vingt points d'avance.
...
Je suis blindé.
...
Je ne sais plus qui je suis, et je m'en fous parce que je me dis qu'on n'a pas vraiment besoin de le savoir, en fait.
Silence.
C'est juste bien de savoir qu'on appartient, et qu'on a besoin de rien qu'un peu de carburant.
...
Tu es encore là ?
...
Tu es en train de mourir ?
...
Préviens-moi surtout si tu es en train de mourir.
...
Déjà ?

MARION KLEIN : Tu ne regardes jamais la télé.

…
Tu n'as jamais eu de télé.
…
Tu ne manges pas de chips.
…
Tu ne bois pas de bière. Tu bois du vin, du whisky, tu manges du thon et tu écoutes la radio.
…
Ce n'est pas contre toi.
…
Ce que je fais, je ne le fais pas contre toi.

Silence.

Je me sens mieux.
…
Je vais aller faire un tour.
…
Je vais y aller.
…
Je vais aller voir mes parents. Je vais prendre le test et je vais aller les voir.

Marion Klein se lève et enfile un pardessus.

Je vais te prendre de vitesse.
…
Parce que, là, t'es trop cassé pour faire quoi que ce soit, tandis que moi, j'ai comme un relent de vie.
…
Je me sens.
…
À toute épreuve.

ANDRÉ KLEIN : Éteins les lumières en partant.

Marion Klein s'apprête à partir.

Attends, putain.

...

Tes tests.

Marion Klein revient sur ses pas.

Dans le frigo.

...

Je vais y aller aussi.

...

Je vais aller me faire vomir dans les toilettes.

...

On a encore des toilettes ?

...

Attends-moi. Tu ne vas pas me prendre de vitesse sur ce coup-là.

...

Attends-moi.

...

Putain.

...

J'aurais aimé qu'on fasse ça ensemble.

...

J'aurais tellement aimé qu'on fasse ça ensemble.

6.

André Klein et Marion Klein sont éloignés l'un de l'autre. Ils ne font rien. Il y a une valise quelque part dans un coin.

ANDRÉ KLEIN : J'ai commencé par le plus difficile.
J'ai été déterrer ma mère.
Au cimetière de Montrouge.
À deux cents mètres de la tombe de Coluche.
C'était sa grande fierté.
D'être enterrée là.
Elle avait réservé.
Elle aimait bien Coluche.
Elle avait appris par cœur le sketch sur le pape.
Tous les Noëls, on y avait droit.
J'ai fait ça de nuit.
J'ai pris le dernier métro, et j'ai marché.
J'ai traîné avec des gens dans la rue.
Pour boire du vin dégueulasse, et me donner du courage.
Pour trouver un peu de main-d'œuvre, parce que, seul, je sentais que j'allais galérer.
J'ai demandé à un Géorgien.
De deux mètres dix, avec un cou de taureau.
Il était hanté.
Il avait le regard fuyant et hanté.
Ça se voyait que sa plus grosse connerie était derrière lui.
Il a dit oui très simplement.
Il n'y a pas de gardien ou de chien de garde

au cimetière de Montrouge.
Les touristes n'en ont rien à foutre de Coluche.
Ils vont tous voir Morrison au Père-Lachaise.
Coluche, rien à foutre.
C'est calme, dégagé.
On voit bien les étoiles.
J'ai fait ça vite.
On a fait ça vite.
Elle était toute sèche.
Friable.
Ça fait vingt ans qu'elle est morte quand même.
Elle était devenue boulimique à la fin de sa vie.
Et ça m'a fait du bien de la revoir comme je l'avais connue.
Maigre, sèche, et friable.
Ça ne sentait pas grand-chose.
Le renfermé.
J'ai pris une dent.
J'ai hésité avec un doigt.
Je lui ai pris la main.
Je lui tenais souvent la main.
Je l'ai reposée.
J'ai pris la dent.
Elle est venue toute seule.
Elle était belle.
C'est tout ce que j'ai à dire.
Elle était belle.
J'ai pris sa dent.
J'ai demandé au Géorgien s'il voulait bien

s'occuper de tout refermer.
Je lui ai donné un billet en plus.
Il a dit « pas de problème ».
Et j'ai appris de lui que c'était possible, que c'était difficile mais possible, de n'exprimer aucun jugement dans le regard.

Marion Klein allume une cigarette.

J'ai été voir mon père.
C'était moins compliqué.
J'ai mis du temps quand même.
Il fallait prendre un bus.
Deux bus, en fait.
L'ascenseur sentait la pisse de chat.
La même pisse de chat depuis vingt ans.
Il habite au onzième étage.
Il était surpris.
Il était choqué.
Il était en pyjama.
Je lui ai offert une clope.
Il m'a dit qu'il n'avait plus le droit.
Depuis son dernier sais-pas-quoi.
C'est une maladie qu'il me sort à chaque fois.
J'ai jamais compris ce que c'était.
Un truc à trois lettres.
Ça m'a vraiment surpris.
Pas qu'il n'ait plus le droit, il bombarde depuis qu'il a douze ans.
Mais qu'il prenne ça en considération.
J'ai traîné.
Je me suis dit que si je le rendais un peu nerveux, il finirait par me prendre une clope.

Ça n'a pas tardé, en fait.
Je lui ai parlé de ma sœur.
De son accident.
Il m'a demandé sa clope un peu brutalement.
Un peu comme s'il avait envie de me frapper.
Je la lui ai tendue et je l'ai allumée.
Je me suis assis et j'ai regardé un peu sa télé.
Il a la télé la plus laide de l'histoire des télés.
Elle est un peu bombée comme ça, et elle tire vers le beige.
Les images tirent toutes vers le beige, c'est infect.
C'était le Tour de France.
Je ne savais pas que c'était le Tour de France en ce moment, mais ça ne m'a pas surpris.
C'est vraiment le genre de télé sur laquelle on peut regarder le Tour de France.
En beige.
Il m'a dit « je suis crevé ».
« Je suis crevé, je vais aller me coucher. »
Il a toussé, et il m'a dit : « Sale clope de merde. »
Et il est allé se coucher.
Je suis resté dans le salon.
L'étape était chiante à mourir.
Pas un col, rien.
J'ai été le voir dans sa chambre.
Il faisait déjà semblant de dormir.
Je me suis assis au bord du lit.
Il jouait mal la comédie.
Il a toujours très mal joué la comédie.
Il m'a dit un truc dans son faux sommeil.

Il m'a demandé des nouvelles de la mère de mes enfants.
Il ne m'a pas demandé des nouvelles de mes enfants.
Il m'a demandé des nouvelles de leur mère.
Je me suis levé.
J'ai récupéré la clope dans le cendrier.
J'ai laissé la télé allumée.
Je me suis cassé.
J'ai claqué la porte.
J'ai pris les escaliers.
Et j'ai remarqué qu'il n'y avait pas une seule étoile dans le ciel.
Pas une.
Alors que je pensais qu'on les voyait mieux dés qu'on avait quitté Paris.
Mon père a toujours eu peur de moi.
On n'en a jamais parlé.
Mais j'ai toujours pensé qu'il était au courant.
Au courant que j'étais au courant.
Au courant que ma mère avait été violée gamine par son père adoptif et que mon père était au courant et qu'il s'était assis à sa table et qu'il n'avait rien dit.
Je me souviens de ces repas et je me souviens de son regard, alors que je n'étais pas au courant à cette époque-là.
Mon grand-père a fait des enfants pour la France.
Il en a fait quatre.
Et il est parti.

Il a abandonné tout ce beau monde parce que son père à lui venait de toucher un pactole.
Mon arrière-grand-père s'était occupé d'une usine qui appartenait à un juif qui avait dû fuir pendant la guerre.
Et l'usine avait fait beaucoup d'argent pendant la guerre.
Et le juif a eu la chance de revenir, et mon arrière-grand-père lui a rendu son usine.
Le juif, pour le remercier d'avoir si bien travaillé en son absence, lui a donné la moitié des bénéfices.
Peut-être que mon grand-père n'a pas eu envie de partager l'argent de son père avec sa progéniture.
Peut-être qu'il ne se sentait pas bien en compagnie d'enfants.

Marion Klein éteint sa cigarette.

Voilà d'où je viens.
Voilà ce que je vais vérifier.
S'il y a un doute, voilà ce que je vais vérifier.
Voilà ma lignée.
...
Tu fumes maintenant, toi ?

MARION KLEIN : J'ai été voir ma mère et mon père.
J'avais du mal à choisir une méthode de prélèvement.
Ils n'ont jamais fumé de leur vie.
Ils sont en bonne santé.
Ils ne se mouchent pas.
Ils ne mâchent pas de chewing-gums.

Ce sont des gens très compliqués qui s'aiment très simplement.
Quand il tombe, elle l'aide à se relever.
Quand elle tombe, il l'aide à se relever.
Ils tombent autant l'un que l'autre.
Ils tombent souvent.
Ils ont du mal à vivre dans ce monde.
Plus ils s'en éloignent, plus ils ont du mal.
C'est pour ça qu'ils sont revenus là, après un long départ.
Ils vivent dans une chambre de bonne.
C'est un miracle ce qu'ils arrivent à faire avec Douze mètres carrés.
Ça paraît immense là-dedans.
Ils se lèvent assez tard, vers dix heures.
Ils se caressent dans leur lit et ils se lèvent.
Ils boivent du thé, du très bon thé, tout leur fric passe là-dedans.
Ils ne mangent rien, du riz et des légumes macérés dans du vinaigre qu'ils achètent chez les Coréens.
Après, ils vont se promener.
Ils choisissent un quartier.
Ils prennent une rue, et ils se concentrent sur cette rue.
Ils s'arrêtent et ils décrivent ce qu'ils voient.
Ils essaient de se rappeler des mots, par exemple, butée, enduit, chatière, bouche, ficus, plaque.
Si la rue est trop longue, ils y retournent le lendemain.

Et ils contemplent.
Le secret de leur bonheur est là.
Ils arrivent à identifier les choses avec des mots et ils contemplent.
Et, comme ça, ils arrivent à vivre avec rien.
Juste en identifiant les choses.
Je suis arrivée chez eux en fin d'après-midi.
Ils ont pleuré, ils pleurent, ces imbéciles.
Ils n'arrivent pas à me parler, juste à m'étouffer de leurs accolades.
Ils s'en foutent de moi, en fait ils s'aiment trop.
Quand ils me regardent, j'ai l'impression qu'ils se souviennent exactement du moment, du comment c'était quand ils ont fait l'amour un dimanche après-midi.
Ils se rappellent exactement de comment c'était de se sucer mutuellement les orteils en faisant des bruits de cochon.
Je leur rappelle ça, et c'est ce moment-là qui les émeut, ce n'est pas vraiment moi.
Moi, c'est de les voir qui m'émeut, mais ce n'est pas juste, ce n'est pas équilibré.
Ce n'est pas équitable.
Ils n'ont rien remarqué.
De mon état.
Mais je m'y attendais.
C'est ça, l'amour.
Ils ont deux tasses.
C'est tout ce qu'ils ont.
Deux tasses horribles.
Qu'ils ont ramené d'un voyage en Angleterre.

Avec le prince Charles et Lady Di sérigraphiés dessus.
Je crois que c'est une paire de tasses pour commémorer leur mariage.
Je leur ai demandé de me les offrir.
Ça a été difficile parce qu'ils aiment vraiment ces tasses.
Ils se sont regardés et ils ont pleuré.
Ils se sont pris dans les bras l'un de l'autre et ils ont pleuré.
Et ils m'ont dit : « Prends les tasses, prends les tasses, Marion Klein. »
En pleurant.
Je les ai remerciés et je me suis mise à pleurer avec eux.
Et on riait en même temps, et on se frottait les bras, et on bavait un peu.
Et je suis partie.
Et je ne savais pas quoi faire des tasses.
Je savais que je n'allais pas te les donner, jamais.
Je savais que je n'allais pas les leur donner, jamais.
Mais je savais que je voulais me punir et faire quelque chose de définitif avec ces tasses.
Quelque chose d'impardonnable, mais de moins impardonnable que de vous les donner.
J'ai été sous les quais et j'ai pris le tunnel où Lady Di s'est scratchée avec Dodi al-Fayed.
Et là, il y a toujours des fleurs et des inscriptions.
Des mots et des objets.

Et j'ai laissé les tasses là.
Parce que c'était violent.
Et la salive, sur les tasses, c'était aussi violent que les traces dans le tunnel.
…
J'estime que je n'ai pas à savoir ça.
…
J'estime que je n'ai pas à vivre ça.
…
Je vais m'allonger.
…
Je vais m'allonger et je vais ouvrir la bouche.
…
Je vais laisser l'air sortir et je vais laisser l'air entrer.

Marion Klein allume une cigarette.
Silence.

ANDRÉ KLEIN : Je ne sais pas quoi te dire maintenant. Ce n'est pas bien. Je ne sais pas si tu dois être là. Je ne sais pas si c'est bien que je sois là. Je ne sais pas s'ils vont appeler maintenant, ou s'ils vont attendre encore. Ça change tout le temps. J'aimerais décider à leur place. Le moment. Le mouvement. Tout ça. J'aimerais ne pas avoir à le subir. Je vais partir. Je pense. Nous n'avons plus à être là ensemble. Ensemble, non. Tu ne participes pas. Tu ne joues pas le jeu. Tu ne collabores pas. Ce n'est pas bien. Tu ne m'apportes rien. Tu n'apportes rien à personne. Ce n'est pas bien. Ce n'est plus envisageable. Tu es figée.

Ce n'est pas bien pour moi d'être à côté de quelqu'un qui est allongé et ne fait que respirer péniblement. Lève les jambes. Lève les jambes pour la circulation du sang.

...

Je vais te laisser là. J'ai prévenu déjà que j'allais te laisser là. Je ne te dis pas toute la vérité. Je suis en règle. J'ai prévenu. Je n'ai pas envie de m'allonger et de rester là et de les attendre. Je ne sais pas ce qu'ils vont faire de nous quand ils vont venir. Ils n'ont pas précisé ce qu'ils allaient faire de toi quand ils allaient venir. Tu ne peux pas te cacher ici, tu sais ? Tu as beau te cacher derrière ta faim, ça ne suffit pas. Je dois partir. Je pars. Je vais payer le loyer. Grâce à mon travail. Ce travail que j'ai trouvé. Ma participation. Mes résultats. Mes efforts. Et je veux bien que tu restes là, à en profiter. Reste. Reste. Tu as peut-être encore un peu de temps. Reste. Ils ne m'ont pas dit combien de temps il nous restait. C'est peut-être long. Peut-être une semaine. Peut-être un mois. Reste. Je ne sais pas qui tu es. Sais-tu seulement qui tu es ? Vois-tu au-delà ? C'est bien ce que tu vois au-delà ? C'est intéressant ?

...

Est-ce que tu peux te dédoubler et voir ton presque cadavre ?

...

Allonge-toi sur le côté. Tu respireras mieux

comme ça. Allonge-toi sur le coté. C'est dangereux de rester comme ça.

…

Je ne sais pas qui tu es.

Un très, très long silence.

MARION KLEIN : J'étais amoureuse d'André Klein et j'étais très heureuse pendant un temps.

Silence.

J'étais amoureuse d'André Klein et j'étais heureuse pendant un temps.

Un très long silence.

Le téléphone sonne. André Klein reste un long moment sans réagir. André Klein va répondre au téléphone.

ANDRÉ KLEIN : Allô.

…

C'est moi.

…

C'est André Klein.

…

Oui, allez-y.

…

Posez votre question.

…

Soulagé ?

…

Oui.

…

Oui, je suis soulagé.

…

Pardon ?

…

Une dernière, alors.

…

Victorieux ?

…

Victorieux de quoi ?

…

Oui.

…

Oui, je suis victorieux.

…

Je ne sais pas, en fait.

…

Vous allez sans doute me le dire.

Marion Klein s'allonge sur le côté.

Silence.

Oui, je m'en vais.

…

Je vous rejoins.

…

Je quitte les lieux.

…

Oui.

…

Je ferme le gaz.

…

D'accord.

…

Et l'eau, et l'électricité, d'accord.

…

Je ferme tout ça.

Silence.

Je ne sais pas où ça se ferme.

…

Non, je ne l'ai jamais ouvert.

…

Au niveau du compteur.

…

Je vais voir.

…

Je vais voir si je peux trouver ça.

…

Oui, bien sûr, je ferme à clef.

…

À qui ?

…

Je les laisse à la concierge.

…

D'accord.

…

Non.

…

Non, nous n'avons aucun animal domestique.

…

Certain.

…

Je vous rejoins.

…

À tout de suite.

Les Lilas, le 2 décembre 2008

Gérard Watkins est né à Londres en 1965.

Identité *a été créée à la Comète 347, à Paris, le 22 avril 2009.*

Mise en scène
Gérard Watkins

avec
Anne-Lise Heimburger et Fabien Orcier

Scénographie
Michel Gueldry

Une production du Perdita Ensemble
en coréalisation avec Street Level Industries

Ce texte a bénéficié du soutien du Centre national du livre, de l'aide à la production de la direction régionale des Affaires culturelles d'Île-de-France et de l'aide à la création du Centre national du theâtre.

COMPOSITION VOIX NAVIGABLES
À L'ÎLE-SAINT-DENIS (FRANCE).

CONCEPTION ÉDITORIALE :
PIERRE BACHELIER
MISE EN PAGE :
FRANÇOIS MEUNIER
RELECTURE :
MÉLINA CADET-PUJOL

ACHEVÉ D'IMPRIMER EN DÉCEMBRE
2010 SUR LES PRESSES NUMÉRIQUES
DE CORLET IMPRIMEUR À CONDÉ-SUR-
NOIREAU (CALVADOS)

NUMÉRO D'IMPRIMEUR : 75794

DÉPÔT LÉGAL : AVRIL 2010
IMPRIMÉ EN FRANCE